Los elegantes, la niña y los juguetes perdidos

Coordinación de la colección: Mariana Mendía
Cuidado de la edición: Ariadne Ortega González
Diseño: Javier Morales Soto
Formación: Sofía Escamilla Sevilla

Para Daniel Pupko, Zop
K.C.

Para Santiago y Gonzalo
T.M.

Los Elegantes, la Niña y los juguetes perdidos

Texto D. R.© 2016, Karen Chacek
c/o Indent Literary Agency
www.indentagency.com
Ilustraciones D. R. © 2016, Teresa Martínez

Primera edición: octubre de 2016
Primera reimpresión: agosto de 2017
D. R. © 2016, Ediciones Castillo, S. A. de C. V.
Castillo ® es una marca registrada.

Insurgentes Sur 1886. Col. Florida.
Del. Álvaro Obregón.
C. P. 01030. México, D. F.

Ediciones Castillo forma parte del Grupo Macmillan.

www.grupomacmillan.com
www.edicionescastillo.com
infocastillo@grupomacmillan.com
Lada sin costo: 01 800 536 1777

Miembro de la Cámara Nacional de la Industria Editorial Mexicana.
Registro núm. 3304

ISBN: 978-607-621-628-6

Impreso en México / *Printed in Mexico*

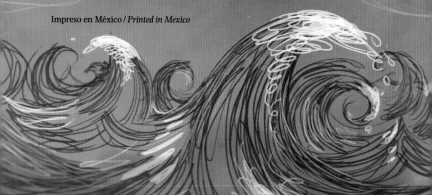

CASTILLO DE LA LECTURA

Los elegantes, la niña y los juguetes perdidos

KAREN CHACEK

Ilustraciones de Teresa Martínez

UN PRESAGIO

Los Elegantes navegaban las aguas del mar Negro que, ni negras ni azules ni verdes, se agitaban como un monstruo con frío por culpa de esos vientos huraños que a cada rato cambiaban de dirección.

Muchos de los libros que poblaban la biblioteca del Abracadabra mencionaban barbaridades de esas aguas; añadían que, en caso de que la embarcación sufriera algún infortunio, lo mejor que podrían hacer sus tripulantes sería rezar o beber tónicos cristalinos que los hicieran reír, pues ningún marinero sensato en los puertos cercanos saldría a su auxilio.

En el cuarto de máquinas, las tazas de té habían sido reemplazadas por paletas heladas que chorreaban gotas cuando el barco se bamboleaba. Los Elegantes miraban con los ojos bien abiertos el gran mapa que el Capitán acababa de extender sobre la mesa ovalada, para trazar la ruta marítima que habría de llevarlos a su siguiente destino.

¿Qué hacía el Abracadabra navegando las feroces aguas del mar Negro? La respuesta la tenía esa mujer de túnica dorada con quien habían cruzado camino hacía dos días.

Se llamaba Selene, sabía leer las cartas y tenía fama de adivinadora del futuro.

A la hora de subir al barco para intercambiar barajas antiguas con la Niña, Selene le aseguró a toda la tripulación que si el barco mantenía su curso en dirección al poniente, en cosa de tan sólo un par de días se encontrarían con la isla Macadamia.

—¿La isla Macadamia existe? —preguntó el Contramaestre sin poder ocultar su asombro.

No era el único de los Elegantes que sentía cosquillas en las palmas de las manos.

Según la Niña, ninguno de los Elegantes sabía usar una regla, pues nunca veía bien trazada una sola línea recta sobre el gran mapa. Se reía cada vez que el Capitán intentaba explicarle que, como la Tierra es redonda, la distancia entre dos puntos siempre será curva en el océano.

Cuando el dedo índice del Vigía apuntó hacia una mancha con forma de bellota en el mapa, los Elegantes y tres de los siete gatos guardaron la respiración. Después soltaron al unísono un suspiro que sonó a: "¿Será posible?".

El Cocinero, el más precavido de todos los Elegantes, deslizó la punta de su dedo sobre la marca en el mapa para confirmar que aquella mancha con forma de bellota no fuera la gota seca de alguna paleta helada. La pequeña mancha resultó ser una marca verdadera, pintada con sumo cuidado en aquel mapa dibujado a mano, que pertenecía a la época en la que los Elegantes habían sido niños y, toda vez que alguno de ellos había perdido un juguete, su madre, su padre, su abuelo, su tía o cualquier otro adulto cercano, les había dicho: "Lo descuidaste y se fue a Macadamia".

La leyenda de la isla Macadamia era
conocida en los cinco continentes. "¿Dónde
queda Macadamia?", preguntaban los niños
de todo el mundo en sus casas, en la calle,
en la tienda o a bordo de cualquier transporte
que tuviera ruedas. La respuesta siempre era
la misma: "Macadamia está en la mitad del
mar, como una pequeña nuez en un gran
vaso de leche. Cuida bien tus juguetes o se
marcharán un día sin que te des cuenta".

A nadie extrañaba entonces ver a niños y no tan niños dormir en las noches con la mitad de sus juguetes bajo las sábanas para que ninguno quisiera huir a Macadamia.

En algunas regiones del planeta se decía que Macadamia estaba cubierta de árboles pigmeos con forma de paraguas, en otras se aseguraba que la isla era una montaña errante que flotaba sobre el mar. Nadie la había fotografiado nunca.

La Niña se doblaba de risa pues los Elegantes no paraban de hablar de Macadamia: tan grandotes y todavía creían en cuentos infantiles.

UNA NUEVA VIDA

Y mientras la Niña reía sin parar por todo el barco, en un compartimento oscuro de la Sección 14 de la estación de trenes, localizada en las faldas de una ciudad con ocho letras en su nombre, se escuchaban unas voces cuchichear.

—Ten cuidado, me aplastas la cara —dijo el Luchador de plástico.

—Intento girar a la derecha —respondió Jaco.

—¿Qué es esto?

—¡Para! ¡Me haces cosquillas!

—¿Tu cuerpo es un resorte?

—Soy el muñeco de una caja de sorpresas.

—¿Por qué no estás en tu caja?

—Me salí un instante para ver cómo era estar fuera y se llevaron la caja.

—Te abandonaron —dijo una tercera voz.

—¿Quién eres? —preguntó el Luchador.

—Alguien.

—¿Podrías ayudarnos, Alguien? Estamos enredados.

—¡Buah! —gimoteó Jaco.

—No llores. Alguien nos va ayudar. ¿Verdad, Alguien?

—¿Qué voy hacer sin mi caja?

—Yo soy un luchador sin una pierna y aun así peleo cualquier batalla.

—Apuesto a que en la última batalla perdiste —aseveró Alguien, mientras les ayudaba a desenredarse.

—¿Cómo lo sabes?

—Porque también a ti te abandonaron.

—Te equivocas, Alguien —respondió el Luchador—. Me marché por mi propio pie.

—¿Qué pasó? —preguntó Jaco echando mocos—. ¿No te querían?

—¡Me adoraban! Pero ya no soy ningún jovenzuelo. Nadie te pregunta nunca si quieres venir al mundo; un buen día te sacan de la envoltura, te venden en una tienda de juguetes y pasas cuatro años estrellándote contra las paredes a las que te avienta un clan de niños. Ahora quiero ser yo quien decida mi futuro: quiero viajar a Macadamia.

—¿Qué es Macadamia? —preguntó Jaco.

—El paraíso —respondió el Luchador, con un suspiro.

—Patrañas —interrumpió Alguien—. Nos hacen creer que Macadamia existe para que tengamos una ilusión y parezca que tiene sentido haber venido a este mundo. "Plástico somos y en plástico reciclado nos convertiremos" —remató Alguien, en tono de sermón.

—¡Esperen! Ninguno me ha explicado qué es Macadamia —desesperó Jaco.

—Macadamia es una isla misteriosa a la que cualquier juguete del mundo puede llegar sin necesidad de tramitar un pasaporte —apuntó el Luchador.

—¿Puedo ir contigo? Tal vez ahí encuentre otra caja.

—¡Por supuesto!

—Eso, si es que algún día salimos de aquí —sentenció Alguien, con voz pesimista.

—¿Dónde carambolas estamos? —quiso preguntar el Luchador, pero Alguien mandó callar a todos:

—*Shhh.* Escucho pasos —dijo.

Primero se oyó una llave dando vuelta en una cerradura, después un rechinido como si alguien jalara con fuerza una puerta y luego se abrió el cajón. ¡El trío de juguetes por fin vio la luz! Pero ¿dónde estaban?

—Se encuentran dentro de uno de los ochenta cajones de la Oficina de Objetos Perdidos de la Sección 14 de la estación de trenes —les explicó la Muñeca Intrépida, que vestía un traje fabricado con dos bolsas de gomitas, quien además los ayudó a salir del cajón, uno por uno.

—¡Eres una jirafa! —exclamó el luchador al ver con luz de día los rasgos físicos de Alguien.

—Soy Alguien y punto.

A esa enorme oficina llegaban los objetos que algunos de los cientos de pasajeros que tomaban el tren a diario olvidaban en el trayecto, ya fuera por viajar distraídos, por quedarse dormidos o por tener que bajar a prisa del vagón.

Los ochenta cajones estaban llenos de documentos de identidad, de juegos de llaves, de paraguas, de libros, dentaduras postizas, pulseras, cajas de chocolates, libretas, abrigos, relojes, sombreros y, por supuesto, de juguetes.

Una vez concluida la misión de rescate, la Muñeca Intrépida recibió los mimos de Luisa, una mujer mayor con tatuajes de palabras y flores, quien guardó al trío de juguetes en el interior de una mochila blanca que olía a naranjas y guayabas, luego con un sonoro *"¡Ciao!"* se despidió de los encargados de la Oficina de Objetos Perdidos. Todos la conocían, era la única persona que cada mes rescataba a algunos de los juguetes perdidos que sus dueños no habían reclamado.

Luisa dejó la mochila en el asiento trasero de su descapotable naranja. Puso a la Muñeca Intrépida en el asiento al lado suyo. Manejó hasta la playa, donde vivía en un coche rodante con su esposo Fritz: un viejo marinero a quien los doctores le habían pronosticado tres meses de vida, pero eso había sucedido hacía cinco años.

Luisa y Fritz nunca habían perdido el gusto por los juguetes. Seguido les daba por jugar

como cuando eran niños hasta que llegaba
la hora de la cena. Algunos días discutían
en voz alta y se decían cosas hirientes.

Cuando hacían las paces, a Luisa le gustaba
acompañar sus disculpas con un regalo
especial: juguetes. Pero no juguetes nuevos,
sino juguetes que ya hubieran pasado un
tiempo en el mundo y que les pudieran contar
a ella y a Fritz nuevas historias.

Una vez en casa, Luisa limpiaba los juguetes hasta sacarles brillo. Su papá le había repetido muchas veces que las disculpas y los regalos deben ser entregados a tiempo y en buen estado para que surtan efecto.

Ese día, Luisa y Fritz se pasaron la tarde intentando adivinar cómo había sido la vida anterior de los juguetes recién llegados. No le atinaron a la historia de ninguno. En la noche cenaron un sándwich de cangrejo frente a las olas y el viejo marinero, con una bonita pipa sin prender en la boca, dijo:

—Querida, por más que tú y yo riamos mucho a diario, igual nos hacemos más viejos cada día. Creo que llegó la hora de sacar una maleta y emprender ese viaje del que tanto hemos platicado: ir a Macadamia.

El Luchador, con sus ojos abiertos como platos, intercambió miradas con Jaco y con Alguien, la jirafa que decía no ser jirafa.

¡QUIERO ESE JUGUETE!

El día amaneció brumoso, el Abracadabra jugaba a desaparecer y aparecer entre bancos de niebla. Era la hora del desayuno y el Vigía, desde su torre, no atinaba a llevarse a la boca ni una nuez, mientras abajo, en el comedor principal del camarote, nadie en la mesa tenía permiso de servirse algo líquido, pues a bordo cualquier líquido se agitaba a la par de las olas y era imposible no salpicar a los demás con un vaso de leche, de té o de licuado de frutas.

Los ancianos mellizos estaban encantados. Hacía meses que no cocinaban su pudín especial de vainilla exótica porque la preparación demandaba revolver la mezcla sin parar hasta que ésta espesara, y no podían pedir ayuda a ninguno de los Elegantes, pues los ingredientes secretos tienen que mantenerse como un secreto para que la receta funcione.

La Niña se quejaba de que todos los platos del desayuno parecían gelatinas. Como nadie más reclamaba, ella decidió poner el desorden y anunciar su capricho del día:

—Hoy quiero que me traigan un juguete perdido de los que viajan a la isla Macadamia.

En el comedor se hizo un gran silencio, como si de pronto el aire también se hubiera convertido en gelatina.

—Pero, Niña, si me permite, todavía no sabemos si la isla existe —respondió el Capitán.

Entonces la Niña clavó su tenedor en el centro de una gelatina de huevo y luego gritó con voz punzante:

—¡Abracadabra!

Todos en la mesa se sobaron las orejas.

Entonces sonó la campana del Vigía. Los Elegantes enterraron sus tenedores en la gelatina más cercana y salieron a cubierta para averiguar cuál era el hallazgo. Se quedaron sin habla al ver una pequeña embarcación naranja que se bamboleaba de un lado a otro entre las olas gigantes.

"¿Qué clase de locos se aventurarían a navegar las aguas del mar Negro con un barco tan pequeño?", se preguntó el Capitán con algo de fascinación.

—¡Súbanlos al barco enseguida! —ordenó entusiasmada la Niña—. Nos guiarán a la isla Macadamia —les dijo en secreto a los siete gatos con una mirada.

La minúscula embarcación fue amarrada al Abracadabra y sus tripulantes fueron rescatados. Para sorpresa de todos se trataba de una pareja de viejos, ella con un brazo tatuado de palabras y flores, él con una bonita pipa sin prender en la boca. Eran Luisa y Fritz.

Luego de un buen baño de agua caliente, les pusieron un lugar en la mesa y les sirvieron un plato grande de budín de vainilla exótica.

Fritz observaba con curiosidad a la Niña, por momentos reía solo y no paraba de morder la punta de su pipa.

—¿Sabías que existe una leyenda sobre una niña que viaja sola en el mar, a bordo de un barco mágico? —le preguntó—. Eso me lo contó mi abuelo. Decía que la niña no podía bajar del barco porque, entonces, el navío desaparecería. Los marineros que creían haberla visto, pensaban que se trataba de un sueño.

La Niña le sonrió de regreso, lo condujo de la mano hasta el gran mapa y le pidió que señalara la ruta para llegar lo antes posible a Macadamia.

Mientras Fritz lo hacía, la Niña se llevó una enorme cucharada de budín a la boca, la cual escupió después en una carcajada. ¡Fritz era otro adulto que tampoco sabía usar la regla para trazar una línea recta sobre el mapa!

Empezó a caer una fuerte tormenta que no parecía inquietar a nadie a bordo. La Niña se entretenía leyendo palabras antiguas en el brazo de Luisa, al tiempo que Fritz divertía a los Elegantes con sus historias de cuando había sido marinero. Solamente los gatos del barco se daban cuenta del puñado de juguetes usados que escapaban a hurtadillas de la maleta de Luisa y Fritz, en la que habían viajado escondidos durante varios días.

Nadie a bordo del Abracadabra se hubiera enterado, de no ser porque uno de los gatos apresó entre sus garras a Alguien, la jirafa que decía no ser jirafa, y la aventó de un lado a otro hasta que fue a parar sobre el gran mapa de la mesa ovalada.

—Dicen que nadie, persona o juguete, que pone un pie en la isla Macadamia vuelve a salir de ahí, porque la isla hipnotiza; que mujeres y hombres de mar han sucumbido al encantamiento, se han quedado en tierra firme abrazados al juguete que tanto amaban en la infancia y que jamás dejaron de extrañar —relataba Fritz.

—Oímos que una vez el capitán de un buque frigorífico intentó llevarse consigo un juguete. También cuentan que una legión de juguetes se interpuso en su camino para defender a su compañero y que, luego de una maniobra audaz, enviaron al capitán de regreso a su barco, amarrado de pies y manos con listón para envolver regalos —contaba Luisa, mientras los ancianos gemelos volvían a llenar su plato con budín.

—¡Aun en los parques de diversiones y en las casas de galleta gigantes, siempre hay alguien que busca algo distinto y necesita marcharse a otra parte! —exclamó la Niña—. ¡Quiero que me traigan ese juguete! —remató.

Nadie en el barco la contradijo, pues todos a bordo conocían el sentimiento al que se refería.

✿ ¿CUÁL ES TU TRUCO? ✿

Allí estaba la isla Macadamia, majestuosa y con forma de bellota. El barco se acercaba cauteloso a sus costas. ¿Acaso serían bien recibidos? La respuesta llegó con la velocidad de una flecha india. ¡En la punta de una flecha india miniatura!

El Capitán Elegante fue quien desprendió el papel que venía encajado a la pequeña flecha, la cual cabía en la palma de su mano, y leyó en voz alta el mensaje:

DEJA TUS ZAPATOS EN EL BAÚL DE LA ENTRADA ANTES DE BAJAR A TIERRA

Era todo lo que decía.

El Capitán meditó un momento, llevaba puesta la capa verde que lo ayudaba a pensar con claridad en circunstancias desconocidas. Entonces, sin aviso alguno, soltó una carcajada tremenda. Se disculpó con los presentes a bordo y se quitó rápido las botas. La Niña pensó que se trataba de un juego y también se descalzó. El resto de los tripulantes hizo lo mismo. Sin embargo, el Capitán no esperó a nadie, y en cosa de dos parpadeos bajó descalzo del barco con la prisa de quien corre a recoger los primeros dulces que caen de una piñata.

Todos a bordo vieron cómo una nueva flecha miniatura volaba en dirección a la cabeza del Capitán y éste conseguía atraparla con la mano izquierda, como había aprendido a hacerlo a la edad de nueve años. Quien lanzaba las flechas era Tobías, el Jefe Indio del tamaño de una licuadora, con quien el Capitán había pasado muchas tardes alegres durante su infancia, corriendo descalzo sobre el piso de rombos de la cocina de su abuela. Ella no dejaba que nadie pusiera un pie en la casa con los zapatos enlodados: debían echarlos al baúl de la entrada.

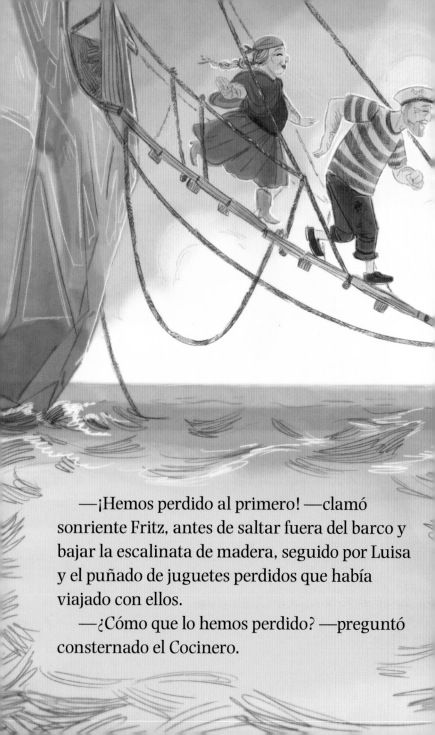

—¡Hemos perdido al primero! —clamó
sonriente Fritz, antes de saltar fuera del barco y
bajar la escalinata de madera, seguido por Luisa
y el puñado de juguetes perdidos que había
viajado con ellos.

—¿Cómo que lo hemos perdido? —preguntó
consternado el Cocinero.

El Contramaestre se limpió un par de
lágrimas del rostro. El Vigía miró por su largo
telescopio en busca del Capitán Elegante sin
avistarlo por ningún lado. Los ancianos se
peinaron las barbas. La Niña cerró ambas
manos en puños:

—Yo iré por el Capitán —clamó decidida.

Los ancianos mellizos saltaron del susto: de acuerdo con el libro Magenta de las Recetas Medicinales, la Niña sólo tenía permitido bajar del barco siete veces en un siglo, y esas siete ocasiones ya habían ocurrido. Si bajaba una vez más, el Abracadabra desaparecería.

El Contramaestre dio un paso y dijo:

—Iré yo, Niña. No corro ningún peligro. Siempre supe que la isla Macadamia existía por lo que contaban mis amigos, pero nunca tuve un juguete que fuera mío.

La Niña lo miró con simpatía y, en un acto que sorprendió a todos, corrió a abrazarlo.

Ella y el Contramaestre conformaban un dúo desigual; sin embargo, tenían en común mucho más que su afición por los instrumentos musicales: ninguno de los dos había jugado nunca con un juguete nuevo.

Incluso los juguetes que la niña podía aparecer con un poco de magia provenían de otros tiempos, otros hogares, otros dueños. Para ambos los juguetes no eran propiedad exclusiva de nadie, iban y venían como joyas a lo largo de la vida.

—Yo también iré, Niña —agregó el Vigía, aguantándose el espanto que le provocaba caer en el encantamiento de la isla Macadamia.

—Iremos todos —remató el Cocinero—. Un Elegante jamás abandona a otro Elegante.

Los piratas se dirigieron a sus respectivos camarotes para alistarse como lo hacían cada vez antes de saltar a la cubierta de un barco vecino. Esta vez tendrían que ser especialmente sigilosos y pulcros para que ninguno de los juguetes de la isla Macadamia los viera pasar y los hechizara de nostalgia.

La Niña y los siete gatos se sentaron en la mesa de la cocina a comer un gran plato de budín de vainilla exótica. Los ancianos mellizos, como siempre, metieron al horno cincuenta patatas crudas apenas vieron a los Elegantes bajar a tierra, luciendo más esmerados que nunca.

La isla Macadamia era la más grande y variada juguetería del planeta. Algunos juguetes tenían más de ochocientos años y aún funcionaban pese a estar rotos, percudidos u oxidados.

La única norma en Macadamia era ser quienquiera que fueras. Cada juguete había llegado al mundo siendo único, aunque existieran muchos otros parecidos.

En el juego cualquier cosa se valía y todos
los días podían suscitarse combinaciones
extraordinarias. A veces veías carreras de
coches contra monigotes afelpados, muñecas
piloteando naves espaciales y camiones de
bomberos que se pintaban las llantas de colores.
Los más intrépidos intercambiaban cabezas
para probar cómo sería vivir unas horas en
el cuerpo de otro juguete. Al final del día
regresaban a sus complexiones originales,
aquellas en las que todo embonaba en su sitio
y la mitad de arriba coincidía con la de abajo.

Los humanos que se quedaban en la isla no vivían mucho tiempo; seguido se les olvidaba comer por pasarse el día entero jugando y durmiendo pequeñas siestas de sueño tan profundo que parecían hechizados. Luego de cinco días en Macadamia, no volvían a abrir los ojos de nuevo.

Luisa se había encontrado con Ledgar, un perro hocicón que vestía corbata y que todavía conservaba la marca de plumón rojo que su hermano le había pintado en el cachete cuando eran niños. Fritz había visto pasar el Galeón que le regaló su abuelo al cumplir ocho años, y ahora corría detrás de los hombrecitos azules con los que charlaba de niño todas las noches.

Ambos parecían hipnotizados, ni siquiera respondían cuando alguno de los Elegantes los llamaba por su nombre.

Los tripulantes del Abracadabra tuvieron que dejar a la pareja de ancianos traviesos a mitad de la isla y, bastante acongojados, seguir adelante con su búsqueda.

El Luchador le contaba sus anécdotas a una familia de muñecos japoneses que lo había invitado a colgarse con ellos de la rama de un árbol. Alguien, la jirafa que decía no ser jirafa, acababa de integrarse a un grupo de juguetes que no se llamaban a sí mismos "juguetes" sino "los diferentes". Jaco saltaba por los alrededores y a cada rato se enganchaba con algo, pero la Muñeca Intrépida siempre aparecía para ayudarlo a salir del aprieto.

—¡Deja de darme las gracias! —le decía ella—. Entiende que yo he venido al mundo a rescatar a otros juguetes. ¿Cuál es tu truco?

Jaco no respondió de inmediato, más bien se quedó pensando: lo mejor que él sabía hacer en el mundo era sorprender a los humanos.

Los Elegantes encontraron al Capitán durmiendo una siesta en una hamaca con el Jefe Indio boca arriba sobre su pecho. Ambos tenían los pies enlodados y roncaban a ritmo; producían un sonido parecido al del motor descompuesto de un buque grúa, de ésos que se usan para remolcar barcos hundidos. Esto les dio una buena idea a los Elegantes.

CHICHARRAS Y BELLOTAS

Los Elegantes caminaban a paso de hormiga, tan ligeros que el ruido que hacían al pisar las hojas secas no llamaba la atención de ningún juguete —y eso que cargaban la hamaca con el Capitán y el Jefe Indio encima—. De súbito, este último despertó gritando:

—¡La tierra es la madre de todos los juguetes pieles roja del mundo!

Los Elegantes detuvieron su andar en el acto y aguantaron la respiración. Parecía que el Capitán Elegante despertaría en cualquier momento, pero siguió roncando. Se encontraban a unos cuantos pasos de la escalinata de madera que los conduciría de regreso al Abracadabra.

Tobías, el Jefe Indio, miró a los Elegantes muy serio, volteó a ver el Abracadabra y luego al Capitán que roncaba. Meditó un momento, buscó entre las bolsas de su chaleco café con flecos y sacó algo que parecía una pequeña pipa de metal.

El Vigía respiró aliviado:

—Me parece que antes de subir al barco fumaremos la pipa de la paz con el Jefe Indio —murmuró a sus compañeros.

Los Elegantes vieron a Tobías llevarse la pipa sin prender a la boca, inflar los cachetes y soplar con fuerza.

—Olvidó prenderla —rio en voz baja el Vigía.

—No es una pipa de la paz —murmuró el Cocinero.

—No. No lo es —confirmó el Contramaestre, quien podía ver a lo lejos que una jauría de perros de juguete venía a su acecho.

Aquello que Tobías tenía en la boca era un silbato para perros de juguete que únicamente los perros de juguete podían escuchar.

Los perros rodearon a los Elegantes. Nadie lo creería, pero ningún perro enojado es inofensivo, ni los musicales ni los forrados con tela de colores y mucho menos los que tienen relleno acolchonado de algodón.

Por respeto al Capitán, quien dormía profundamente, ninguno de los feroces canes ladraba, sólo se acercaron poco a poco hasta rodearlos por completo. Los Elegantes tuvieron que dar media vuelta y seguir los pasos de Tobías, el Jefe Indio.

Y como si todo aquello no fuera suficiente, en el Abracadabra los ancianos mellizos no podían darse cuenta de que nueve de las cincuenta patatas en el horno habían comenzado a dorarse, éstas medían el tiempo justo en el que los Elegantes debían regresar al barco. Los ancianos mellizos estaban muy ocupados tratando de hallar el Libro Magenta de las Recetas Medicinales, pues querían prepararle a la Niña un brebaje que le quitara el dolor de panza por haber comido al hilo tres platos grandes de budín de vainilla exótica.

De regreso en la isla, una legión de muñecos elásticos se abrazaba a los tobillos de los Elegantes para mantenerlos inmovilizados.

A su vez, el clan Los de un Solo Ojo cuchicheaba a un costado para decidir qué haría con ese trío de piratas pulcros. Estaban en Macadamia, la isla de los juguetes, de modo que todo siempre se resolvía con un juego.

Al poco tiempo apareció entre la vegetación un enorme robot rojo moteado con puntos blancos y dejó en el piso tres cajas idénticas, con etiquetas en las tapas. A Tobías le ganó la curiosidad y se acercó a ver las cajas de cerca. En la primera etiqueta se leía BELLOTAS, en la segunda CHICHARRAS Y BELLOTAS y en la tercera CHICHARRAS. La Muñeca Cíclope explicó las reglas del juego en voz baja para no despertar al Capitán:

—Como verán, cada caja tiene una etiqueta. Pero todas las etiquetas están equivocadas —rio en bajito—. Uno de ustedes dará un paso

adelante y meterá la mano en alguna de las tres cajas. Lo que sea que encuentre dentro, será la única pista que tendrán para adivinar qué hay en cada una de las cajas y así colocar las tapas de forma correcta. Si aciertan a la primera, podrán llevarse todo y salir de la isla. A la segunda, podrán llevarse todo y salir de la isla, siempre y cuando corran más rápido que los perros —volvió a reír—. A la tercera, considérense un hueso más en la playa.

No había tiempo para pensarlo demasiado y los Elegantes lo sabían, así que se mostraron valientes y jugaron Piedra, papel o tijeras para decidir quién de ellos introduciría la mano en alguna de las cajas. El Contramaestre salió elegido. Estaba a punto de meter la mano en la caja con la etiqueta de BELLOTAS, cuando el Cocinero lo empujó para que metiera la mano en la caja de CHICHARRAS Y BELLOTAS.

El Contramaestre encontró dentro una bellota y se la mostró a sus compañeros. El Cocinero se encogió de hombros. El Vigía pidió ver la bellota de cerca, entonces se la llevó a un costado de la oreja y la agitó.

—No —dijo—. Definitivamente no es una chicharra disfrazada de bellota.

El Cocinero la olfateó a distancia y lo secundó:

—En efecto, huele a bellota —dijo—. En esa caja sólo parece haber bellotas.

La Muñeca Cíclope dejó salir una risilla malvada y sembró la duda en los Elegantes. Cuchichearon entre ellos. El Cocinero confesó que no sabía en realidad a qué olían las chicharras. Pensaron que tal vez la muñeca los había engañado desde el principio, que sería una estafadora profesional y que quizá por eso había perdido un ojo.

El Contramaestre dio un paso adelante, aclaró su garganta y con voz firme anunció lo que habían concluido:

—Las tapas de las cajas están colocadas de manera acertada tal y como se encuentran.

Se hizo un gran silencio que la Muñeca Cíclope rompió con una carcajada.

—Respuesta equivocada —dijo entre risas.

El Cocinero empezó a sudar como lo hacía cada vez que preparaba su sopa picante de pescado, geranios y fideos.

El Contramaestre tragó saliva.

Tobías bajó la cabeza, parecía sentirse un poco culpable. El Vigía respiró hondo, guardó la respiración hasta casi ponerse morado. Luego abrió grande los ojos y sonrió.

—Si es verdad que todas las cajas están etiquetadas mal —le murmuró el Vigía a sus compañeros— y que en la caja de CHICHARRAS Y BELLOTAS sólo hay bellotas, eso significa que la caja que dice BELLOTAS tiene que contener chicharras y la que dice CHICHARRAS debe guardar chicharras y bellotas. No hay otra solución sensata, ¿o sí?

El Contramaestre y el Cocinero dieron su voto de confianza a sabiendas de que eso, quizá, los convertiría en un hueso más en la playa.

La Muñeca Cíclope soltó un quejido cuando vio al Vigía resolver el acertijo y colocar cada una de las tapas en la caja correcta. Lo único que consolaba a los miembros del clan Los de un Solo Ojo era pensar que ningún humano le había ganado nunca una carrera a los perros de juguete. Los Elegantes levantaron la hamaca con el Capitán encima y las cajas de chicharras y bellotas y, a la cuenta de dos y medio, se echaron a correr entre la arboleda de sombrillas boca arriba de la isla, seguidos por la jauría.

Los juguetes armaron una quiniela. Tobías apostó diez a uno a que los Elegantes llegaban primero al barco. Más de uno se rio a carcajadas de su ocurrencia, hasta que lo vieron llevarse el silbato para perros a la boca.

—¡Trampa! —gritó el robot moteado.

—No es trampa —dijo Tobías—, es un acto de amistad.

Los perros se frenaron en seco al oír el sonido del silbato.

Los Elegantes subieron al Abracadabra y recogieron a prisa la escalinata de madera. Dejaron al Capitán en su cama. Ninguno sabía qué hacer con el resto del cargamento, era la primera vez que regresaban de una expedición con un botín tan ordinario.

—¿Bellotas y chicharras es todo lo que trajeron? —preguntó la Niña, bastante desilusionada.

El Abracadabra zarpó de inmediato. Las cincuenta patatas se habían pasado de tueste y apenas servían para preparar puré.

La Niña, el Vigía y el Contramaestre molían los tubérculos con tenedores de cinco puntas, mientras el Cocinero preparaba una salsa anaranjada para recordar a Luisa y a Fritz.

El Capitán entró campante a la cocina, vestía su capa verde y lucía más fresco que un brócoli.

—¡Tuve un sueño extraordinario! —exclamó—. ¿Cuáles son las novedades? —preguntó al Contramaestre.

—Hemos dejado atrás la isla Macadamia.

—¿Entonces no fue un sueño? —se preguntó un tanto preocupado. Miró a un lado y luego tomó una caja, creyendo que era la del té de hierbas fluorescentes, pues quería prepararse un tónico que tranquilizara sus pensamientos. Se llevó una sorpresa tremenda al quitar la tapa; todos saltaron al mismo tiempo cuando Jaco salió disparado, como hacen los juguetes que viven en las cajas de sorpresas.

—¡Mi juguete perdido! —gritó la Niña, feliz de ver cumplido su capricho del día.

Impreso en los talleres de
Impresos Santiago, S.A. de C.V.
Trigo No. 80-B, Col. Granjas Esmeralda,
Del. Iztapalapa, C.P. 09810, México, D.F.
Agosto de 2017